O MAIS ASSUSTADOR DO FOLCLORE

monstros da mitologia brasileira

Luciana Garcia

O MAIS ASSUSTADOR DO FOLCLORE
monstros da mitologia brasileira

Ilustrações de
Roger Cruz e Bruna Brito

Caramelo

©2005 by Luciana Garcia
Todos os direitos reservados.

Diretora editorial: Flávia Helena Dante Alves Bravin
Gerente editorial: Carla Fortino

Suplemento de atividades: Luiza M. A. Garcia
Preparação: Thelma Babaoka
Revisão: Carla Fortino e Camila Biffe
Ilustrações: Roger Cruz e Bruna Brito
Diagramação e capa: Daniel Rampazzo/ Casa de Ideias
Ilustração de capa: Roger Cruz e Bruna Brito

Impressão e acabamento: Gráfica Bueno Teixeira

Dados internacionais de catalogação na Publicação (CIP)
(Câmara Brasileira do Livro, SP, Brasil)

Garcia, Luciana
   O mais assustador do folclore : monstros da mitologia
brasileira / Luciana Garcia ; ilustração Roger Cruz e Bruna
Brito. – São Paulo : Editora Caramelo, 2005.

   ISBN 978-85-7340-411-1

   1. Folclore – Literatura infantojuvenil I. Cruz, Roger.
II. Brito, Bruna. III. Título. IV. Série

05-3422   CDD - 028.5

Índices para catálogo sistemático:
1. Folclore: Literatura infantil 028.5
2. Folclore: Literatura infantojuvenil 028.5

3ª edição, 4ª tiragem, 2020
CL: 810702
CAE: 576205
Proibida a reprodução total ou parcial.
Os infratores serão processados na forma da lei.

Direitos reservados à Saraiva Educação S.A
Avenida das Nações Unidas, 7221 – Pinheiros
05425-902 – São Paulo – SP – Brasil
Tel.: (0xx11) 4003-3061
atendimento@aticascipione.com.br
www.aticascipione.com.br

Às CRIANÇAS BRASILEIRAS,
por uma educação que respeite seus sonhos
a fim de torná-las respeitáveis cidadãos.

Ao ROGER e à BRUNA,
que dão vida às minhas palavras
e trazem belas palavras à minha vida.

À CARLA e à VANESSA,
duas flores com o delicado poder
de fazer de tudo um jardim.

Luciana

A todas essas PESSOAS FORMIDÁVEIS que me ajudaram a
seguir o melhor caminho na vida: o das artes.
Vocês são tantos que não cabem aqui.

Roger

Para meu pai JOÃO MEIRA
eu dedico todas as cores deste livro
junto com todo o meu carinho.

Bruna

NOTA DA AUTORA

As informações sobre o folclore brasileiro, especialmente no que se refere aos mitos, variam muito de acordo com a região e a fonte pesquisadas.

A autora optou por manter a versão mais frequente nas pesquisas, ou a que melhor se adequava aos objetivos da obra, segundo seus critérios.

SUMÁRIO

Protesto	11
O Mapinguari	20
O Jurupari	22
O Zumbi	24
O Labatut	26
O Alma-de-Gato	28
O Chibamba	30
O Gorjala	32
A Cabra-Cabriola	34
O Bradador	36
O Pai-do-Mato	38
A Pisadeira	40
O Quibungo	42
O Tutu	44
O Capelobo	46
Fechando o desfecho	49
Bibliografia	54

PROTESTO

Em uma pequena clareira, onde só seria possível chegar depois que uma intensa mata fechada repleta de perigos e segredos fosse atravessada — e, portanto, onde nenhum humano teve algum dia coragem de pôr os pés —, uma misteriosa cabana de madeira silencia discretamente depois das calorosas discussões do dia anterior. Mas parece que alguém se aproxima...

Nheeec. Tump, tump, tump, tump.

Ahhhhh... Que sombra ótima! Muito melhor do que ficar lá fora com esse sol forte e uns "xaropes" no meio da floresta!

Hum, o que é aquele negocinho em cima da mesa? Ah, acho que é a frase da qual a Cabra-Cabriola estava falando! Vamos ver de perto...

BONC!

Ai, o que essa cadeira está fazendo no meio do caminho?! Nossa, que zona que fica isso aqui depois da reunião! Alguém precisa dar um jeito nesse Sindicato — e não vou ser eu. Bom, melhor ligar o computador e resolver a coisa logo...

***

Em vez de fazer a lição de casa de matemática e o trabalho da escola, motivo pelo qual, teoricamente, estavam reunidos, Aline, Fábio e Daniela mais davam risada que outra coisa. Pela primeira vez haviam escolhido o prédio de Aline como local do encontro — o que se revelou uma péssima ideia, pois, não bastasse a bagunça dos três, logo o motivo da interrupção já era outro.

BIBIIIIIIIIII!!!
FUÓÓÓÓÓÓ!!!

— Nossa, que barulheira! Não estou conseguindo lembrar nem quanto são oito vezes sete — reclamou Fábio.

— Bom, isso eu nunca lembro mesmo...

— Ai, Dani... — riu Aline enquanto seguia até a janela para dar uma espiada. — Acho que é por causa de mais uma passeata lá embaixo, na Avenida Paulista. Está vendo? Parece que tem um tumulto bem em frente ao prédio do MASP.

— Ah, aquele vermelhinho, né?

— Lógico, Fábio. Vai me dizer que você nunca foi ao Museu de Arte de São Paulo?

— Ah, já, mas faz tempo. Eu era pequeno.

— Era?... — debochou Aline, provocando o amigo baixinho, que fez cara de pouco caso.

— Que divertido! Eu nunca vi uma passeata de perto! — Empolgou-se Daniela, mais atenta aos novos acontecimentos que à discussão dos dois.

— Divertido porque vocês moram longe daqui. Mas sabe que até para uma passeata estou achando meio exagerado?...

— Ah, vamos lá dar uma espiadinha, vai? — sugeriu Daniela. — Só pra ver se tem alguém famoso...

A moradora achou graça, mas concordou em fazer a vontade da amiga. Enquanto os três entravam no elevador, porém, alertou:

— Só não espere alguém famoso. Provavelmente ela foi organizada por...

— ... MONSTROS?!

— Isso mesmo. Monstros. Somos do Sindicato dos Monstros — confirmou a voz do Alma-de-Gato vinda do meio da rua, onde todos os outros monstros se encontravam.

— Era só o que me faltava! — resmungou o policial. — Fala a verdade: isso não é mais uma daquelas performances de arte contemporânea?

— Nada. Somos monstros legítimos. Quer ver a carteirinha do Sindicato? — O Alma-de-Gato, ainda invisível, balançou no ar o documento, que parecia flutuar.

— Pô, eu tinha ouvido dizer que os prédios aqui eram grandes, mas nem são lá aquelas coisas, não... — comentou o gigante Gorjala ao Pai-do-Mato, que se limitou a olhá-lo de cima a baixo e a fazer um sonoro *tsc, tsc*.

— E o que vocês pensam que estão fazendo aqui? — perguntou o guarda ao Zumbi parado na frente dele com cara de quem *não* estava ali.

— Bom, pra dizer a verdade, eu só vim porque todo mundo disse que ia ser legal, o maior agito, tal... — foi se intrometendo o Mapinguari.

— Típico: sempre tem um sem-noção no meio... — desdenhou a autoridade, sentindo-se importante ao notar a multidão que se aglomerava.

O trânsito continuava um caos, mas mesmo os motoristas mais afastados, quando resolviam descer do carro impacientes, começavam, a essa altura, a se dar conta da bizarra cena em pleno coração de São Paulo.

— Eu vou dar um jeito nesse cara — ameaçou o Capelobo, apontando para o guarda.

— NÃO! Calma! Senão você vai pôr tudo a perder! — repreendeu baixinho a apavorante Cabra-Cabriola. — Eu, como líder dos monstros, explico: nós estamos representando o MMB, o Movimento dos Monstros Brasileiros! E esta passeata é para conscientizar a população de que os monstros daqui são muito melhores que os importados!

— Como assim? — quis saber Daniela, bravamente descendo a escada do prédio em direção à calçada enquanto o policial saía de fino por uma travessinha.

— Ei, como você tem coragem de falar comigo? Não tem medo, não? — espantou-se a cabra.

— Olha, ter, eu até tenho, mas depois de ficar um mês sem *videogame* nem telefone por ter tirado dois na prova eu encaro qualquer coisa...

— Bom, o caso é que vocês, crianças, só pensam em vampiro, dragão, Fred Krueger...

— ... fada-madrinha... — tentou ajudar o Quibungo.

— E desde quando fada-madrinha é monstro?! Daqui a pouco vou mudar seu nome para *Quiburro*!

— Ah, Cabra, desde que eu assisti àquele filme, o...

— Não interessa! O fato é que os monstros estrangeiros são todos famosos e, em compensação, quase ninguém ouviu falar de nós. Então decidimos vir até a principal avenida do país, onde tudo de importante acontece, para reivindicar nossos direitos.

— Cabra, posso perguntar uma coisa?

— Fala, Gorjala... — respondeu o monstro-líder, revirando os olhos.

— O que é "reindicar"?

— Reivindicar é exigir. Nós exigimos mais atenção das crianças. Fora com os monstros estrangeiros!

— É! FORA! — gritaram os monstros em coro, fazendo um eco grotesco.

— Um momento — pediu a Cabra-Cabriola. — Chega de conversa! Esta é a hora mais importante do nosso protesto. Chibamba, Labatut: desenrolem a grande faixa com nosso slogan.[1]

A multidão — que a essa altura já contava com centenas e centenas de executivos, artistas, estudantes e camelôs, entre outros — ficou quietinha, curiosa para saber qual a mensagem

---

1. Frase curta usada em campanhas de marketing.

tão importante que os monstros traziam. E, quando finalmente o tecido desenrolou, o inimaginável aconteceu:

— Hahahahahahá! Era essa a mensagem extraordinária?! — debochavam alguns.

— Hihihi! Esses monstros não estão com nada! — morriam de rir outros.

Mas, quando a Cabra-Cabriola viu o conteúdo da faixa e, cabriolando, soltou seu grito rouco de raiva — acompanhado de verdadeiras labaredas de fogo que saíam da boca, dos olhos e do nariz dela, — as risadas congelaram na hora.

— ENRIQUEÇA OS GRINGOS: VAPORIZE OS MONSTROS BRASILEIROS?!?! O correto seria *"Esqueça os gringos: valorize os monstros brasileiros"*!!! Quem foi a múmia que fez isso?!

— Alto, lá! Eu não tenho nada com isso — foi gritando o Bradador, o monstro mumificado. — Não foi culpa da gráfica, não?

— De jeito nenhum! A gráfica tem controle de qualidade IZO 90 000, e gastamos todas as economias do Sindicato com ela. *Hiiiccc*! Por falar nisso, e os panfletos e as camisetas que íamos distribuir?! Rápido, Pisadeira, abra os pacotes e veja se no resto do material a frase está correta!

— Xi... Não está, não, Cabra... — verificou ela. — Está errado em tudo; inclusive nas canetas promocionais. Mas elas não pegam direito mesmo...

— *GROAR*! Então o trabalho todo está perdido! Quero saber AGORA quem ficou responsável por essa tarefa!

— Bom, tipo assim, você falou que alguém tinha que cuidar disso, mas não disse *quem*... Aí ninguém dividiu o trampo: cada um foi resolvendo o que aparecia na frente — tentou justificar o Pai-do-Mato.

— Bando de desorganizados! É o que dá trabalhar com monstros... De que adianta bolar uma frase genial, ter o trabalho de anotar as coisas direito e desenvolver uma bela campanha se vocês põem tudo a perder? Hum, mas... pensando melhor... alguém entrou no Sindicato e enviou o e-mail com o slogan para a gráfica com o texto errado. O que só pode significar uma coisa: sabotagem! Alguém fez isso de propósito porque está mancomunado com os gringos. A questão agora é... QUEM? Será melhor eu saber o quanto antes! Dou dois minutos para o traidor se apresentar!

Os monstros e as pessoas não soltavam um pio, temerosos do cruel castigo que um poderoso ser como a Cabriola poderia impor.

— Vamos! Não tenho o dia inteiro! Quem fez essa barbaridade? Quero resolver esse mistério já!

Maior coincidência, impossível: bem nessa hora, alguém especial apareceu por ali...

— Olá, pessoal! Cheguei! Vim correndo de lá do Sul especialmente para cá assim que soube da passeata!

— Negrinho do Pastoreio?! Mas o que é que *você* está fazendo aqui, assim, todo vestido de branco? E você nem é monstro pra participar da passeata! — rugiu o Tutu, reclamando.

— Ué, vocês não estão fazendo uma manifestação pela paz?

— Ih, Negrinho, você está mal informado, hein! *Ronc!* A gente está fazendo uma manifestação, mas não é pela paz, não. Hahahá. Olha bem pra nossa cara — riu o Chibamba.

— E, de paz, aqui não tem nada; pelo contrário: acabamos de descobrir um complicado mistério pra resolver — o pessimista Jurupari tentava influenciar o Negrinho, em vão.

— Ah, mas isso é ótimo! Quer dizer, assim não perco a viagem. Afinal, resolver mistérios é a minha especialidade!

Cabriola não se conformava:

— Pronto! Agora, sim, está tudo perdido. Além de ser humilhado com a faixa desses trapalhões, ainda vem esse bonzinho do Negrinho do Pastoreio tentar nos ajudar. Nós somos maus, Negrinho! Maus, entendeu?!

— Não se preocupe; é com bons exemplos que um dia vocês vão se modificar.

— Ahhhhh! Eu desisto. Faça o que você quiser!

— Bem, eu posso fazer mais uma C.P.P.I., a Chamada Particular Para Investigação. Assim deciframos o mistério do qual vocês falaram. Se bem que, pelo jeito, os suspeitos já estão todos reunidos... Quem será o culpado desta vez?

Para decifrar o mistério, siga as duas dicas abaixo:

1. Leia atentamente as fichas de todos os personagens.
2. Procure as quatro pistas espalhadas ao longo do livro.

Quando reunir o maior número de informações e chegar às suas próprias conclusões, vá até a página 49 e leia o desfecho da história para ver se acertou. (Mas, antes disso, se não conseguir descobrir sozinho, não desanime; tente desvendar o código secreto escondido.)

O MAPINGUARI

O Mapinguari parece um grande macaco com garras, todo coberto de pelos escuros, inclusive no rosto, porém não no umbigo, único local em que pode ser ferido.

Alguns acreditam que traz, em vez de pelos, a pele semelhante à de um jacaré.

Seus pés, iguais aos de um burro, são virados para trás. Por isso seu rastro indica a direção oposta em que se encontra.

A boca fica no meio do estômago.

Durante o dia, especialmente no final da tarde, ataca quem encontrar pela frente e o devora. Não há notícias de quem lhe tenha escapado, principalmente porque, na maior parte das vezes, a vítima fica petrificada de medo.

À noite, prefere dormir.

Urra e faz muito barulho conforme se aproxima.

É o monstro mais conhecido — e um dos mais novos — da Floresta Amazônica.

Nome: Mapinguari
Melhor amigo: Quibungo
Lugar: Amazonas, Acre e Pará
Prato preferido: cabeça de gente
Qualidade: popular
Defeito: convencido
Mania: atacar caçadores

O JURUPARI

Há três tipos de Jurupari.
O primeiro é, para os índios, um espírito muito mau.
O segundo, a lenda indígena de um jovem que veio
à Terra para arrumar uma esposa para o Sol.
E o terceiro, que nos interessa, é o monstro
responsável pelos maus pensamentos,
pelo sonambulismo e pela insônia, não
permitindo o descanso de quem deseja dormir.
Esse Jurupari é um mito da floresta amazônica que, à
noite, entra nos sonhos das pessoas, transformando-os em
pesadelos e impedindo-as de gritar durante o perigo.
Não tem uma forma precisa, mas
costuma se enfeitar com flores,
tornando-se, ao mesmo tempo, um tanto
ridículo e muito assustador.
De vez em quando dá altas gargalhadas
que ecoam pela floresta.

Nome: Jurupari
Lugar: Amazonas
Qualidade: engraçado
Defeito: provocador
Mania: ficar acordado até tarde
Adora: filme de terror
Detesta: despertador

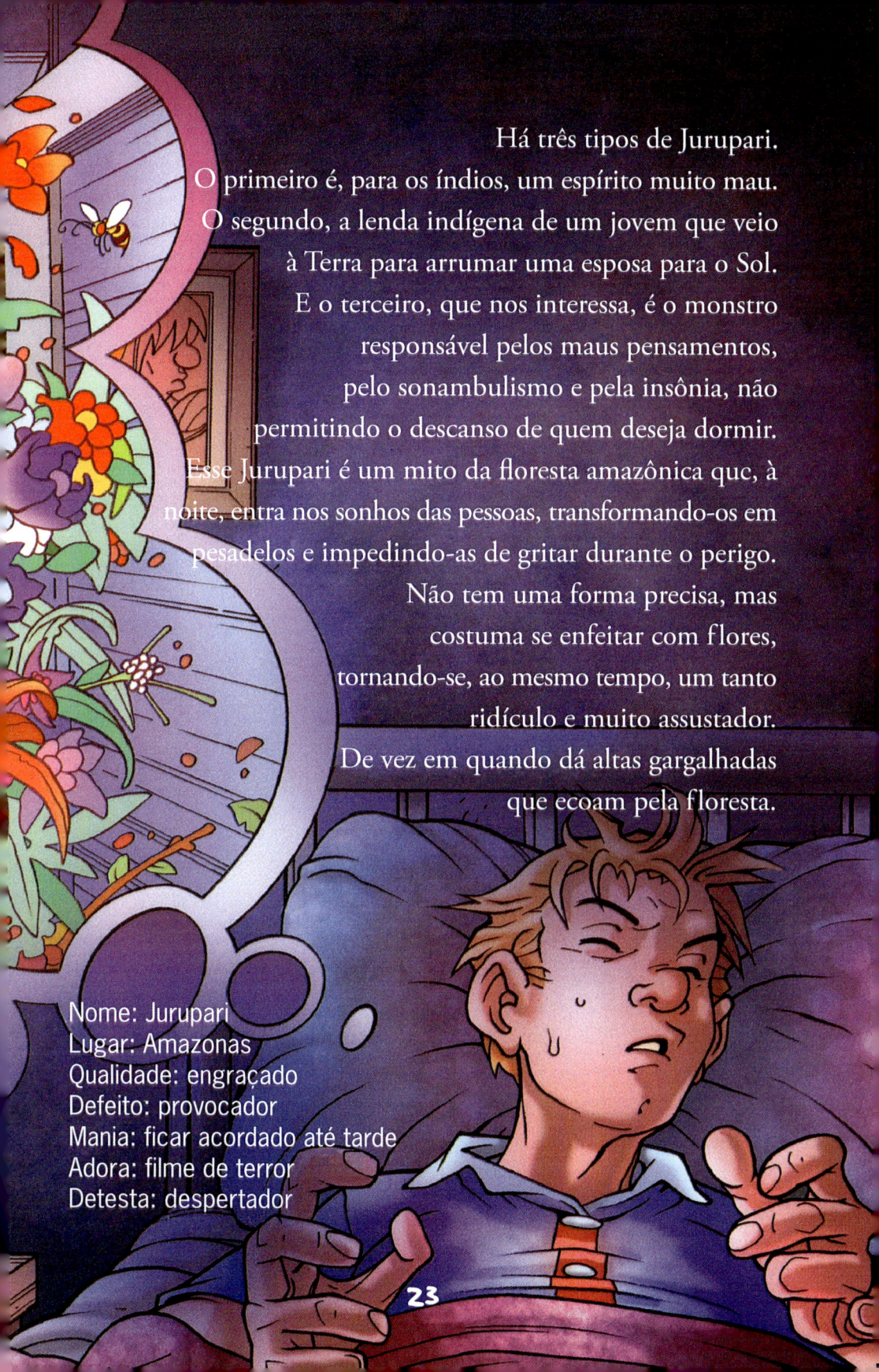

O ZUMBI

De origem africana, o Zumbi é o fantasma silencioso de um homem negro que vaga altas horas da noite pelas ruas ou mesmo dentro das casas. Quando alguém o encontra e tem coragem de se aproximar, ele vai aumentando de tamanho gradativamente, até atingir uma altura tal que chega a se curvar sobre a pessoa, deixando-a apavorada de medo com a transformação.

O Zumbi pode ainda se transformar em uma ave que, ao anoitecer, geme e chama quem passa dizendo o nome da pessoa, geralmente na porteira das fazendas ou em lugares afastados. Dizem que mesmo quando os humanos não podem vê-lo, os cavalos notam sua presença e sempre se desviam de onde ele está.

Curiosidade: às vezes as pessoas confundem o mito Zumbi com dois outros tipos de zumbis. Nas histórias de terror do mundo todo, por exemplo, os zumbis são mortos-vivos ou mortais que têm suas mentes dominadas por seres do mal. E, voltando ao Brasil, há também o Zumbi de Quilombo de Palmares, líder dos negros rebelados do século XVII em Alagoas.

Nome: Zumbi
Lugares: Bahia, Sergipe, Rio de Janeiro e Minas Gerais
Adora: fumo
Detesta: trabalho
Mania: ficar escondido para assustar os cavaleiros
Qualidade: discreto
Defeito: alienado

o LABATUT

O Labatut tem um único olho no meio da testa, grandes presas saindo da boca, mãos grandes, espinhos no lugar de pelos, cabelos emaranhados e compridos e pés redondos.

É também muito alto e está sempre morrendo de fome.

Mora no Fim do Mundo, mas toda noite anda pelas cidades, acompanhado de uma forte ventania, para procurar seu jantar — de preferência, crianças.

Seus passos são rápidos, e a audição, perfeita. Costuma, inclusive, ouvir atrás das portas das casas antes de escolher sua vítima. Por isso há quem prefira ficar em silêncio para ver se assim afugenta o monstro.

Curiosidade: dizem que sua fama se originou a partir do general Labatut, homem alto e forte, cruel e violento que emigrou da Europa para a América do Sul em 1812 e esteve no Ceará em 1832.

Nome: Labatut
Lugar: Rio Grande do Norte e Ceará
Tribo: dos monstros
Mania: ouvir a conversa dos outros
Qualidade: dinâmico
Defeito: enxerido
Livro: de receitas

O ALMA-DE-GATO

Durante o dia, o Alma-de-Gato não possui forma alguma e não é possível saber quando está presente — o que o torna, justamente por isso, uma criatura bastante assustadora. No máximo, é possível notar sua sombra passando rapidamente, um vento que balança os galhos das árvores ou um barulho qualquer que denuncie sua presença. Já à noite, pode se materializar como um gato preto com olhos que soltam intensas faíscas vermelhas de fogo. Seu cenário preferido é o quintal das casas em que há crianças, especialmente as desobedientes. Não causa, porém, mal nenhum, a não ser um grande calafrio de medo em quem o descobre por perto.

No Brasil há um pássaro agourento chamado Alma-de-Gato ou Tinguaçu. Tal espécie de ave pode ser encontrada também na Argentina e no Paraguai, onde é conhecida pelo segundo nome. Lá, acredita-se que, ao ser enterrada, ela origina a uma planta cuja folha dá ao homem o poder da invisibilidade.

Nome: Alma-de-Gato
Apelido: Alma-de-Caboclo
Lugar: Paraíba e Rio Grande do Norte
Tribo: das assombrações
Cor: transparente
Mania: assustar criança
Livro: *O homem invisível*, de H. G. Wells

O CHIBAMBA

O Chibamba veio da África diretamente para Minas Gerais.
É um dos monstros brasileiros mais estranhos. Todo vestido com longas folhas de bananeira, surge dançando num ritmo marcado e equilibrado.
Seu próprio nome, no idioma africano, significa um tipo de música.
Costuma roncar igual a um porco.
Não gosta de crianças que choram — ou melhor, ele as aprecia, porém apenas como refeição...
Pode ser visto também como um negro de muita idade ou como um cabrito.
Só aparece à noite, mas não se sabe exatamente de onde ele surge.

Nome: Chibamba
Lugar: Minas Gerais
Qualidade: animado
Defeito: descomprometido
Adora: fama
Detesta: sua voz
Frase: "Quem dança seus males espanta."

O GORJALA

Penhascos e precipícios são o ambiente perfeito para o temível gigante Gorjala — dizem por aí que é capaz de atravessá-los com um único passo.

Sua aparência não difere muito da do homem, a não ser pelo tamanho descomunal e pela cor da pele totalmente preta.

Forte, feio, feroz e, digamos, não muito esperto, costuma carregar suas vítimas embaixo dos braços para jantá-las depois, por isso também pode ser considerado um tipo de bicho-papão.

Entre os mostros que vivem na terra, é um dos mais antigos na mitologia brasileira.

Nome: Gorjala
Parente distante: Olharapos, de Portugal
Lugar: Norte do Brasil
Livro: *João e o pé-de-feijão*
Qualidade: bem-disposto
Defeito: ingênuo
Frase: "Tamanho é documento."

A CABRA-CABRIOLA

Nome: Cabra-Cabriola
Lugar: Pernambuco, Alagoas, Sergipe e Bahia
Tribo: dos monstros
Brincadeira: cabra-cega
Qualidade: esperta
Defeito: impaciente
Mania: dar pulos e fazer movimentos sinuosos ("cabriolar")

Sua boca é enorme e cheia de dentes afiados.
A voz, grossa e irritante.
De seus olhos, nariz e boca, saem chispas de fogo.
E, da inocente cabra mesmo, ela nada tem.
Ao contrário do Gorjala, a Cabra-Cabriola é um monstro inteligente, capaz de preparar grandes estratégias só para conseguir entrar nas casas à noite e devorar criancinhas. Por exemplo, ela pode aprender a imitar a voz das pessoas a fim de enganá-las. Mas é fácil descobrir a armadilha porque ela não tem a capacidade de se transformar.
Embora more no campo, ouve-se falar dela até mesmo no Litoral nordestino. Mas sua verdadeira origem é portuguesa.

O BRADADOR

O Bradador é outra presença obrigatória entre os mitos mais assustadores do nosso folclore.

Embora desconhecido na maioria das regiões do país, torna-se inesquecível — no mau sentido — a quem quer que ouça seus berros horripilantes.

Ele corre por ruas e campos espalhando seus gritos e lamentos torturantes e deixando qualquer um arrepiado de medo.

Como ninguém tem coragem de vê-lo, no entanto, não há descrições precisas de sua aparência. Mas não é tão difícil imaginá-lo, pois se trata de uma assombração do tipo morto-vivo, uma espécie de múmia brasileira.

Dizem que ele faz suas andanças às sextas-feiras, depois da meia-noite.

Nome: Bradador
Parentes distantes: Zorra Berradeira, de Portugal e Gritador, do vale do São Francisco
Lugar: São Paulo e Paraná
Tribo: das assombrações
Qualidade: empolgado
Defeito: agitado
Frase: "Eu sempre ganho no grito!"

A

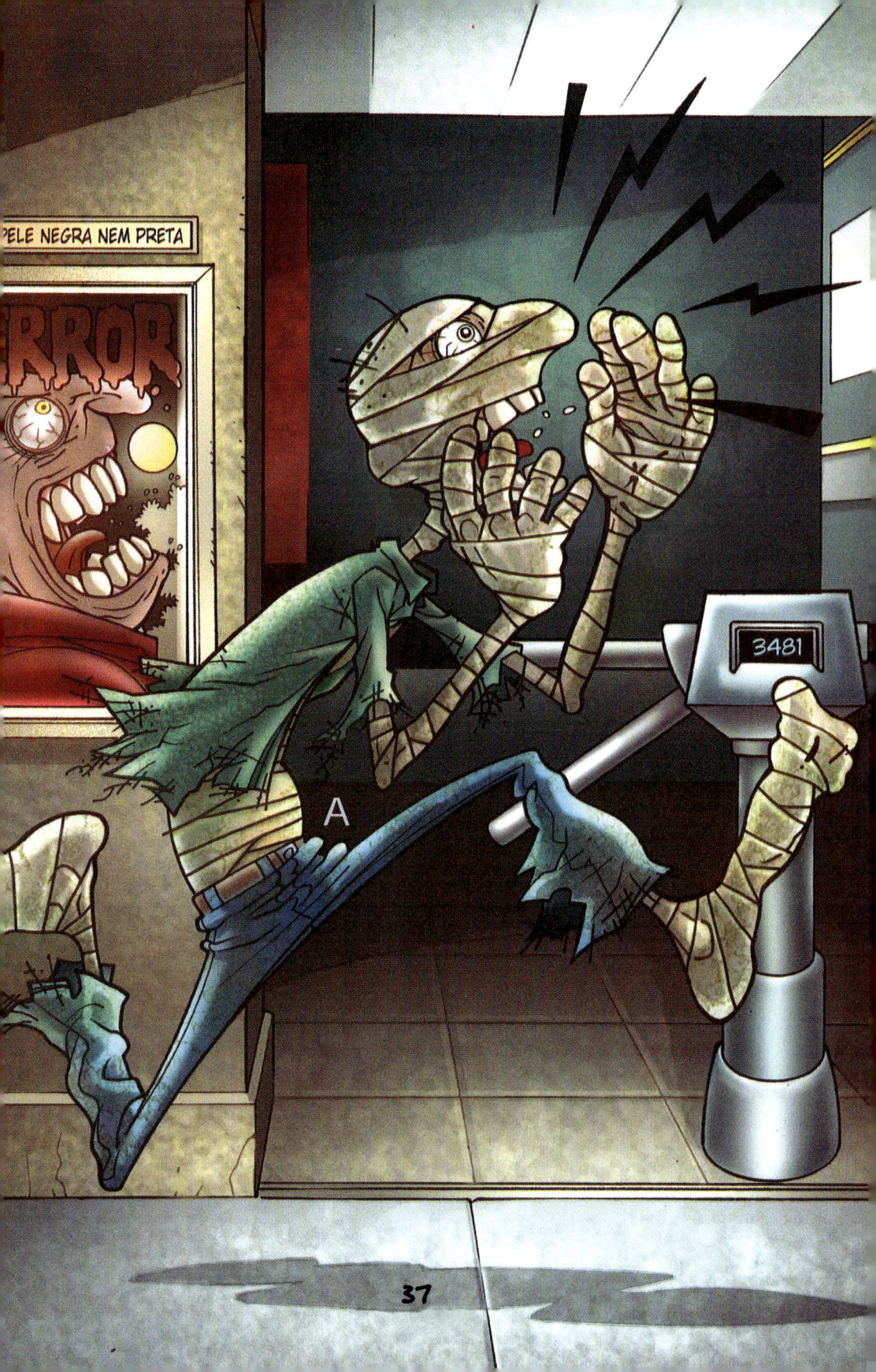

O PAI-DO-MATO

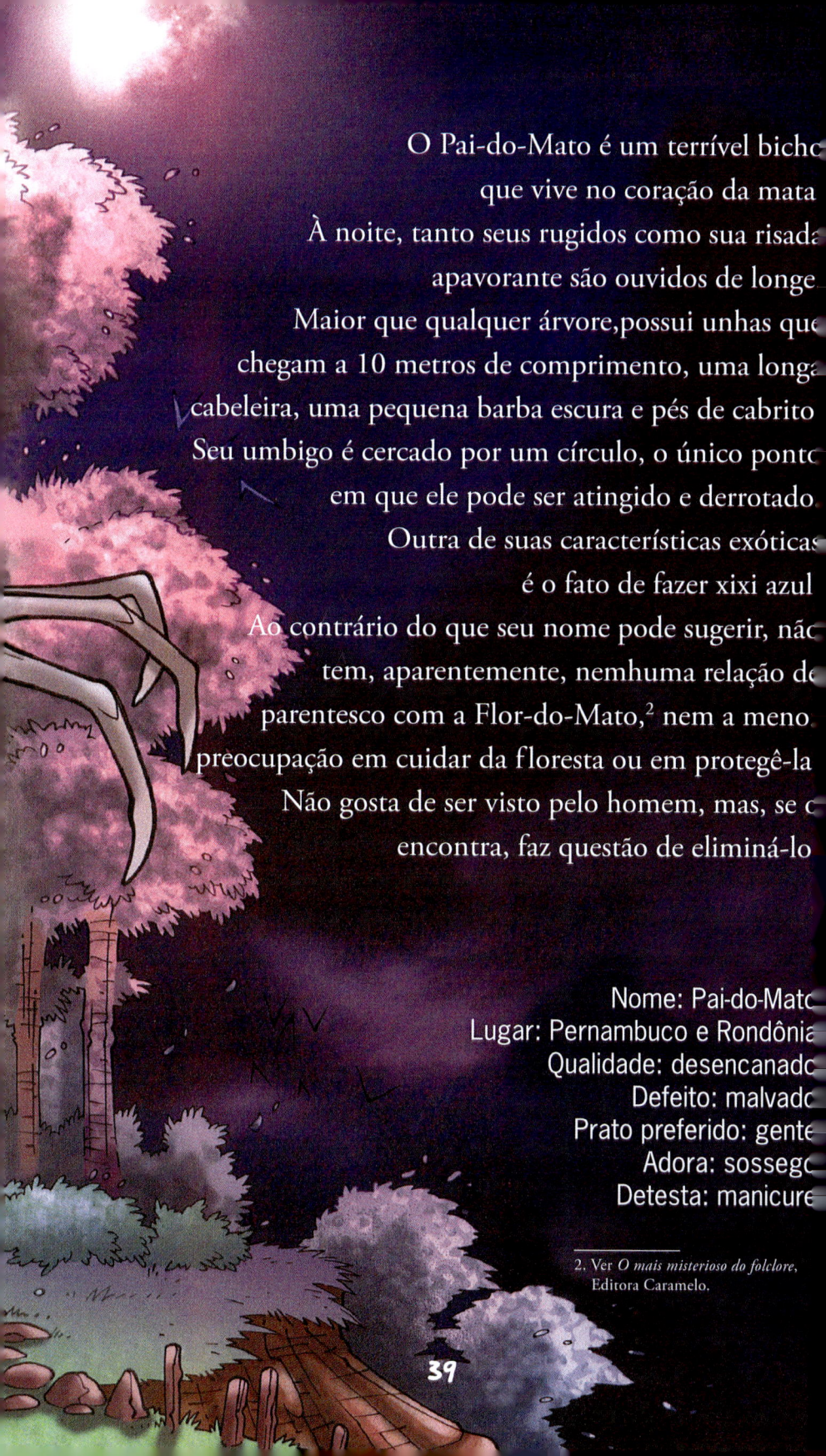

O Pai-do-Mato é um terrível bicho
que vive no coração da mata
À noite, tanto seus rugidos como sua risada
apavorante são ouvidos de longe
Maior que qualquer árvore, possui unhas que
chegam a 10 metros de comprimento, uma longa
cabeleira, uma pequena barba escura e pés de cabrito
Seu umbigo é cercado por um círculo, o único ponto
em que ele pode ser atingido e derrotado
Outra de suas características exóticas
é o fato de fazer xixi azul
Ao contrário do que seu nome pode sugerir, não
tem, aparentemente, nenhuma relação de
parentesco com a Flor-do-Mato,[2] nem a menor
preocupação em cuidar da floresta ou em protegê-la
Não gosta de ser visto pelo homem, mas, se o
encontra, faz questão de eliminá-lo

Nome: Pai-do-Mato
Lugar: Pernambuco e Rondônia
Qualidade: desencanado
Defeito: malvado
Prato preferido: gente
Adora: sossego
Detesta: manicure

---
[2]. Ver *O mais misterioso do folclore*, Editora Caramelo.

A PISADEIRA

Apesar de esquelética, a Pisadeira é uma mulher forte, capaz de quase sufocar sua vítima.

Possui um queixo recurvado para cima, nariz adunco e fino, unhas e dedos bastante compridos, e pernas, em compensação, excessivamente curtas. Para completar, seu cabelo vive bagunçado, e sua testa, franzida, destacando os olhos vivos.

Da mesma forma que o Jurupari, é considerada a responsável pelo pesadelo, pois quando um sujeito come muito e vai dormir logo em seguida, a Pisadeira desce do telhado e sobe no peito dele — especialmente se estiver deitado de barriga para cima —, pressionando-o para dificultar-lhe a respiração durante o sono.

Quando acorda, o coitado se sente cansado por lutar contra ela e pode até ter seu rosto arranhado. Mas, nesse momento, o monstro já foi embora.

É mais um mito vindo de Portugal.

NÃO TEM BOCA NO ESTÔMAGO

Nome: Pisadeira
Melhor amigo: Jurupari
Qualidade: competente
Defeito: indelicada
Hobbie: escalada
Adora: lugares altos
Detesta: sono leve

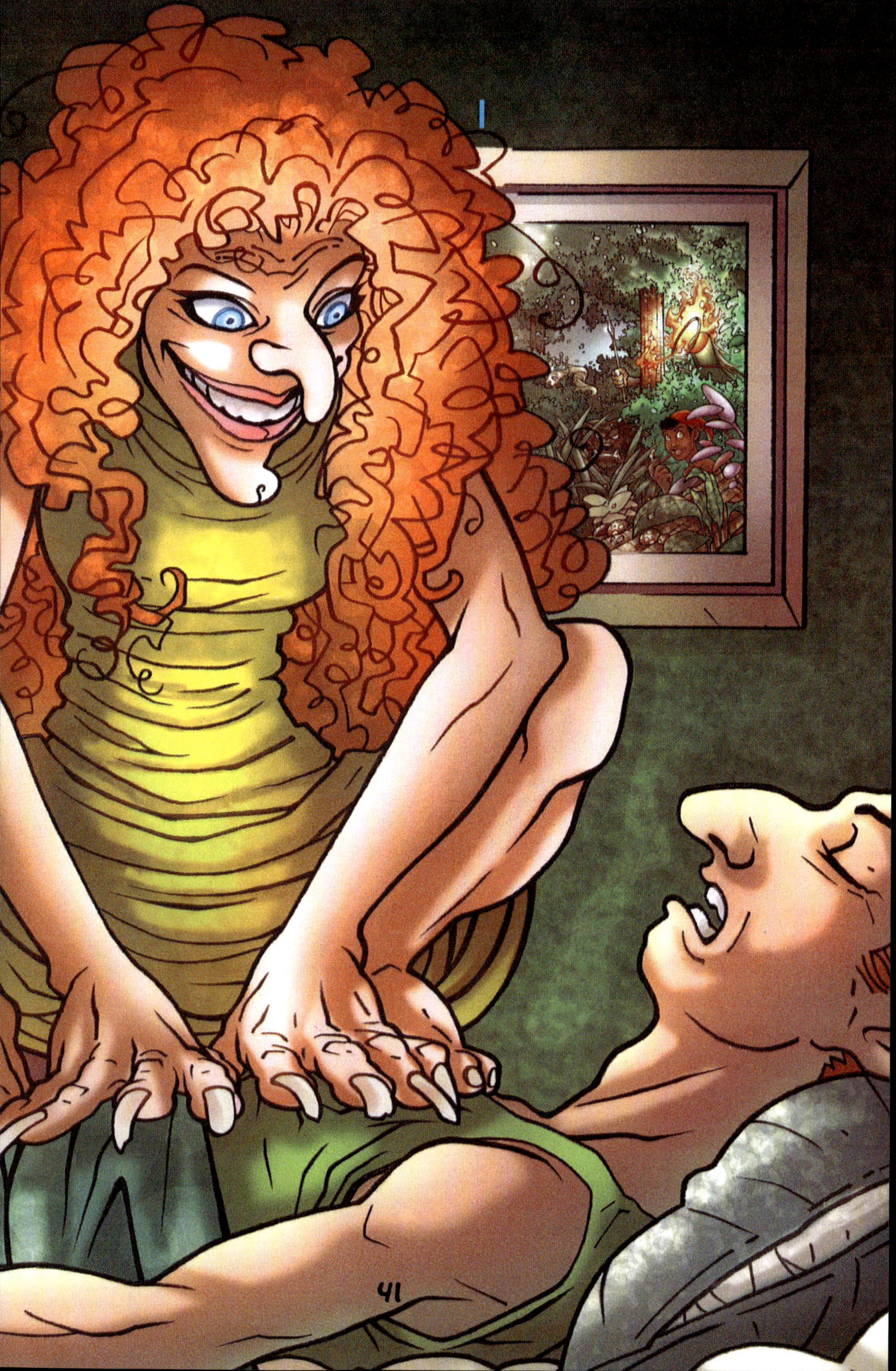

O QUIBUNGO

O Quibungo é uma mistura entre homem e animal. De estatura alta e cabeça grande, possui um buraco enorme em suas costas, que se abre conforme ele abaixa a cabeça e se fecha quando a levanta. Essa abertura estranha é a sua boca, onde mantém as crianças que consegue capturar. O bom é que elas podem ser salvas dali.

Vive nos campos — mas não em florestas — e persegue também as mulheres.

Seu nome, na África, significa "lobo", e o Quibungo frequentemente é associado a esse bicho.

Dizem que fora um homem muito idoso, sujo e vestido com farrapos, transformado depois no monstro. Não pode, porém, nunca mais voltar à sua forma inicial.

Pode ser destruído como um animal comum.

Nome: Quibungo
Apelido: Chibungo
Lugar: Bahia
Parente distante: Homem do Surrão, de Portugal
Tribo: dos monstros
Qualidade: instintivo
Defeito: medroso

O TUTU

A

44

O Tutu é um animal sem forma definida, todo preto, que tem como principal objetivo assustar as crianças que não querem dormir ou que estão chorando.

Por ser muito feio, prefere comer meninos bonitos.

Mora no mato, como se fosse uma espécie de ogro, mas tem o hábito de se esconder atrás das portas das casas.

Produz um ronco forte como o trovão quando fala.

Alguns dizem que ele anda mancando; outros, que não possui cabeça.

Dependendo da região, pode surgir como um porco-do-mato de dentes salientes que vivem batendo.

Para afastá-lo, basta bater o pé e gritar: "Xô, Tutu!"

Nome: Tutu
Apelido: Bicho-do-mato
Lugar: Bahia, Pernambuco, Rio de Janeiro e Minas Gerais
Defeito: invejoso
Qualidade: obediente
Tribo: dos monstros
Música: "Tutu, vá embora
Para cima do telhado
Deixe o neném
Dormir sossegado"[3]

3. Texto da canção adaptado.

O CAPELOBO

Monstro da floresta cujo corpo se parece com o do homem, a não ser por algumas particularidades: além de ser coberto por longos cabelos e pelos negros, possui um focinho igual ao da anta ou ao do tamanduá e apenas um pé, arredondado, que deixa um rastro fácil de ser identificado.

É muito perigoso, impiedoso e bastante veloz, embora também um tanto desengonçado. Costuma gritar por onde passa, especialmente à noite, e vive perto dos rios.

É atraído por acampamentos, barracas solitárias na mata e por filhotes de cães ou gatos.

Alguns acreditam que o Capelobo tenha sido um índio velho que se transformou ao beber uma poção mágica. Para destruí-lo, é preciso atingi-lo no umbigo, assim como o Mapinguari.

ACAMPAMENTO
TEM FORMA DEFINIDA
E CONHECIDA

O

Nome: Capelobo
Apelido: Cupelobo
Parente distante: Lobisomem
Lugar: Pará e Maranhão
Bebida: sangue
Comida: cérebro
Tribo: dos monstros

FECHANDO O DESFECHO

Depois de muitas investigações, interrogatórios, pesquisas e fofocas, Negrinho anunciou:

— Bem, vocês devem estar ansiosos para saber quem é o culpado...

— Tudo bem... eu confesso! Eu confesso! Fui eu quem fez o texto errado! Não aguento mais tanta pressão!

— Nossa, e eu só ia dizer que desta vez não consegui descobrir! — confessou o Negrinho.

— Ora, ora... Você não é o especialista? — provocou o Jurupari.

— Sim, mas não sou infalível – respondeu o Negrinho.

Alheia à discussão, Cabra-Cabriola desabafava, sentindo-se traída:

— Você, Labatut?! Não pode ser! Então foi mesmo de propósito, porque você ouve tão bem que não entenderia aquilo errado!

— Não, nada disso! Foi totalmente sem querer! Eu tenho orgulho da minha audição mesmo, mas nem cheguei a ouvir a frase porque você falava tanto na reunião do Sindicato que eu acabei cochilando. No outro dia, enquanto todos faziam os preparativos para a passeata, resolvi dar uma passada no Sindicato, e, quando entrei lá, encontrei o slogan escrito em um papelzico minúsculo de rascunho, assinado por você. Liguei o computador e, como ninguém tinha ainda enviado nenhum e-mail pra gráfica, resolvi eu mesmo escrever e enviar. Mas aí, na hora de digitar, como sou muito grande e tenho um único olho que mal e mal enxerga (tanto que levei o maior tropeção no Sindicato!), acabei lendo tudo errado... E mandei o e-mail assim. Mas você já reparou no seu garrancho? Com todo o respeito, dá só uma olhada!

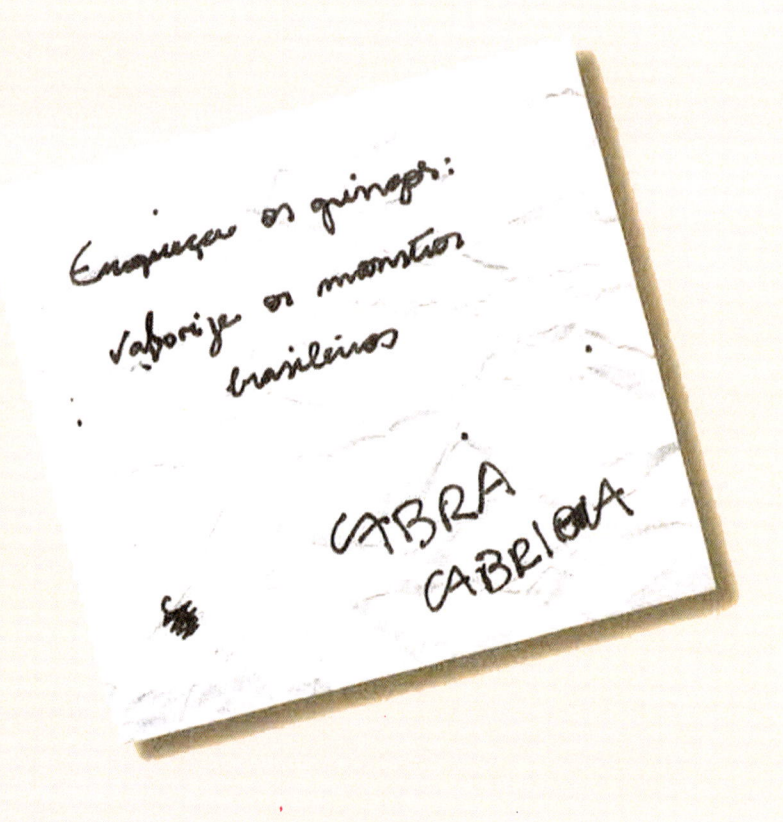

Com seu instinto investigativo apurado, Negrinho concluiu:

— Hum, faz sentido. Muitas vezes quem possui alguma deficiência desenvolve muito bem algum outro sentido, e o fato de não enxergar bem pode explicar essa audição superapurada do Labatut...

— Agora é tarde, Negrinho: não adianta querer dar uma de esperto que você não conseguiu resolver o mistério desta vez — voltou a cutucar o Jurupari.

Cabriola ficou confusa.

— Por essa eu não esperava... Mas, de qualquer forma, agora nós estamos desmoralizados. Já era. Todo mundo vai achar que os monstros estrangeiros são mesmo melhores que nós...

Os monstros se entreolharam, com cara de desapontamento.

...

— Que tal comermos o povo logo? Assim não saímos de mãos abanando — sugeriu o sempre faminto Labatut.

— Depois do que você fez, acho bom não abrir a boca nem para falar! — foi cortando Cabriola, ainda nervosa.

Diante do impasse, a pequena Aline resolveu interferir:

— Bom, pra ser sincera, seus monstros, eu acho que, se vocês são bons como dizem, não precisam se preocupar em boicotar os monstros estrangeiros, porque isso não vai ajudar em nada, muito menos mostrar o valor de vocês. Cada um tem seu espaço e suas qualidades, e vocês são especiais justamente por serem tão... diferentes.

— Claro — incentivou Fábio. — Sem contar que, como quase todos os brasileiros, muitos de vocês têm origem estrangeira, e essa mistura de culturas pode ser muito positiva.

Daniela completou:

— Além disso, depois do escândalo que vocês fizeram, todo mundo já está conhecendo os monstros brasileiros. Já repararam no monte de jornalista que apareceu aí?

— É verdade, Cabra! Eles estão filmando a gente! Dá tchau ali pra câmera! — animou-se o Mapinguari.

— Que tchau o quê! Olha a postura! Não se esqueçam de que, acima de tudo, somos monstros pavorosos e assustadores! Mas... acho que vocês têm razão. Afinal, a gente ganhou mídia, né? Quem sabe até seremos chamados para fazer um reality show...

O Chibamba, que não perdia tempo, saiu logo dançando para comemorar, e não demorou até que crianças e adultos fossem copiando seus passos. Outros monstros acabaram até posando para fotos improvisadas tiradas por celulares e dando autógrafos, fazendo uma trégua nos ataques para aproveitar a oportunidade da fama rápida.

As crianças concluíram o trabalho sobre o Dia do Folclore e tiraram dez — para a alegria de Daniela.

E, desse dia em diante, todos passaram a conhecer também os monstros cheios de personalidade da mitologia brasileira.

— Não sou infalível, mas minha manifestação pela paz até que deu resultado... Hehehe!

BIBLIOGRAFIA

CASCUDO, Luís da Câmara. *Antologia do folclore brasileiro*, v. 1, 3. ed., São Paulo: Livraria Martins Editora, [s.d.].

_____. *Dicionário do folclore brasileiro*, 10. ed., São Paulo: Global, 2001.

_____. *Geografia dos mitos brasileiros*, 2. ed., Rio de Janeiro: José Olympio, 1976.

_____. *Lendas brasileiras*, Rio de Janeiro: Edições de Ouro, [s.d.].

_____. *Mitos brasileiros*, Rio de Janeiro: Ministério da Educação e Cultura, 1976.

DONATO, Hernani. *Dicionário das mitologias americanas*, São Paulo: Cultrix/MEC, 1973.

FILHO, Américo Pellegrini. *Literatura folclórica*, 1. ed., São Paulo: Nova Stella/Editora da Universidade de São Paulo, 1986.

MELLO, Anísio. *Estórias e lendas da Amazônia*, São Paulo: Livraria Editora Iracema Ltda., [s.d.].

_____, Anísio. *Estórias e lendas de São Paulo, Paraná e Santa Catarina*, v. I e II, São Paulo: Livraria Editora Iracema Ltda., 1997.

_____, Anísio. *Estórias e lendas do Norte e Nordeste*, São Paulo: Livraria Editora Iracema Ltda., [s.d.].

MUCCI, Alfredo. *Acauã: alguns aspectos morfocromáticos do medo e a ansiedade no fabulário popular brasileiro*, São Paulo: Editora Morumbi Ltda., 1977.

NETO, J. Simões Lopes. *Lendas do Sul*, 11. ed., Porto Alegre-Rio de Janeiro: Globo, 1983.

NETO, Paulo de Carvalho. *Folclore e educação*, Rio de Janeiro: Salamandra Consultoria Editorial S. A., 1981.

ORICO, Osvaldo. *Mitos ameríndios e crendices amazônicas*, Rio de Janeiro: Civilização Brasileira/ MEC, 1975.

SILVA, Alberto da Costa e. *Lendas do índio brasileiro*, Rio de Janeiro: Ediouro, [s.d.].

TEIXEIRA, José A. *Folclore goiano: cancioneiro, lendas, superstições*, 3. ed., São Paulo: Companhia Editora Nacional/ MEC, 1979.

CONHEÇA
  OUTROS
  TÍTULOS
    DA SÉRIE...

O MAIS LEGAL DO FOLCLORE

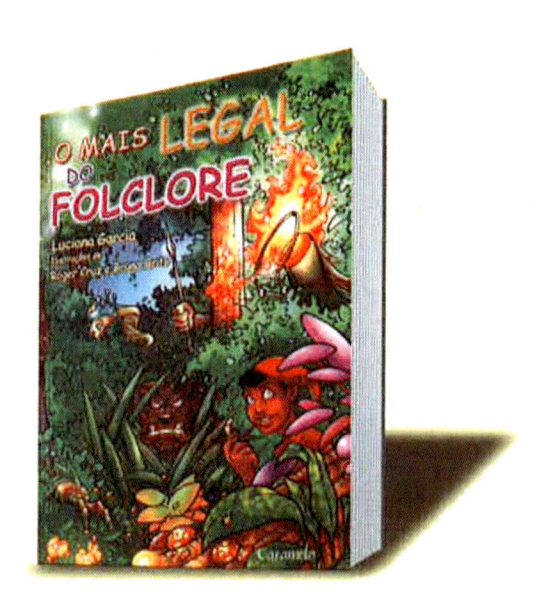

A touca mágica do Saci foi roubada e agora ele tem de descobrir, com a ajuda do Negrinho do Pastoreio, quem é o malvado vilão responsável por isso. Entre os doze suspeitos estão o Lobisomem, a Mula-sem-Cabeça, o Caipora e muitos outros. Participe das investigações procurando as pistas escondidas ao longo do livro, que traz os personagens mais famosos do folclore brasileiro!

O MAIS MISTERIOSO DO FOLCLORE

Na terra das Amazonas, o Sol desapareceu, e desta vez o Negrinho do Pastoreio é chamado para investigar não só como isso aconteceu, mas, principalmente, quem foi o responsável pelo estranho fenômeno! Personagens misteriosos como a Loira do Banheiro, a Cuca e o Chupa-Cabras fazem parte dessa grande aventura na qual você pode ser o detetive!